Cynnwys

Dan eich trwyn

Pwrpas y llyfr hwn yw eich helpu i ddod i adnabod y mân anifeiliaid sy'n byw o'ch cwmpas. Mae'r rhain yn byw yn yr ardd, yn y goedwig, ar ochr y ffordd, a hyd yn oed gyda chi yn y tŷ neu yn yr ysgol. Mae'r llyfr yn trafod un deg pedwar o'r anifeiliaid hyn. Yr enw arnyn nhw ydy **Bwystfilod Bychain**.

Ymchwilio

Cewch wybodaeth am bob anifail ar un dudalen, ac ar y dudalen gyferbyn fe gewch chi dasgau i'w gwneud.

Defnyddiwch y llyfr pan fyddwch yn gwneud eich ymchwiliadau. Bydd ambell gwestiwn yn eich annog i fynd ymlaen i ddysgu mwy am y gwahanol anifeiliaid.

Gair anodd

Os byddwch chi'n dod ar draws gair anodd, trowch i dudalen 38. Mae rhai geiriau anodd wedi eu rhestru yno, ac fe gewch chi esboniad byr o bob un.

Enwau

Efallai y bydd enwau rhai o'r anifeiliaid yn ddieithr i chi. Weithiau, mae'r enw sy'n gyfarwydd mewn rhan arall o Gymru wedi ei gynnwys mewn cromfachau.

Ceisiwch ddysgu'r enwau sydd yn y llyfr yn ogystal â'r enw rydych chi yn ei ddefnyddio i adnabod yr anifail, e.e. **Gwrachen Ludw** (Mochyn Coed), sydd hefyd yn cael ei galw'n bryf llaith, pryf tamp a phryf twca mewn rhai ardaloedd.

Mwynhewch

Gobeithio y mwynhewch y llyfr.

Huw John Hughes

Y byd o dan ein traed

BWYSTFILOD BYCHAIN

DARGANFOD, ADNABOD, AC
YMCHWILIO I
ANIFEILIAID DI–ASGWRN–CEFN

Huw John Hughes

**Cyhoeddwyd dan nawdd
Cynllun Cyhoeddiadau
Cyd-bwyllgor Addysg Cymru**

DREF WEN

Bwystfilod Bychain
Huw John Hughes

Cyhoeddwyd gan Dref Wen Cyf.
28 Church Road, Yr Eglwys Newydd, Caerdydd CF14 2EA

Cyhoeddwyd dan nawdd
Cynllun Cyhoeddiadau Cyd-bwyllgor Addysg Cymru

Argraffiad cyntaf 2005

ISBN 1-85596-665-4

Gwaith celf gan Stephen Daniels
Argraffwyd yn yr Emiradau Arabaidd Unedig

Cydnabyddiaethau
Hoffai'r cyhoeddwr ddiolch i'r canlynol am eu caniatâd i atgynhyrchu ffotograffau yn y llyfr hwn:

Hania Arentsen/Gardensafari: tt. 8, 12, 16, 18, 22, 23, 24, 26, 28, 32.
Science Photo Library: tt. 10, 20, 30.
Oxford Scientific Films: tt. 6, 14.

Cyfarpar

- nifer o gynwysyddion, rhai plastig, e.e. hen gynhwysydd hufen iâ. Cofiwch fynd â'r caead hefyd
- chwyddwydr

Ble i chwilio

- dan gerrig
- dan risgl coeden
- yng nghanol hen ddail wedi crino

Pwysig

- Ar ôl i chi orffen ymchwilio, ewch â'r anifeiliaid yn ôl i'r fan y cawsoch chi nhw
- Ar ôl i chi fod yn gafael yn y gwahanol anifeiliaid, cofiwch olchi eich dwylo

Dulliau casglu

1. Potel sugno

Offeryn yw hwn sy'n cynnwys potel fechan a dau diwb trwy'r corcyn. Mae un tiwb yn feddal ac wedi'i wneud o rwber er mwyn i chi allu sugno'r anifeiliaid i'r botel. Mae un pen y tiwb wedi ei orchuddio â rhwyd we rhag ofn i chi sugno'r anifeiliaid i'ch ceg!

Rhowch y tiwb arall yng nghanol pentwr o hen ddail wedi crino ac yna sugnwch. Fe welwch nifer o anifeiliaid yn cael eu sugno i'r botel. Gallwch wedyn astudio'r anifeiliaid fesul un.

2. Magl

Gwnewch dwll yn y ddaear i gymryd potyn neu gynhwysydd plastig. Suddwch y cynhwysydd i'r pridd nes bod yr ymyl yn hollol wastad â'r wyneb. Gorchuddiwch geg y cynhwysydd â darn o risgl coeden neu garreg, a chodwch y gorchudd hwn ryw 2 – 3 cm uwchlaw wyneb y pridd, gan osod dwy garreg fechan dan bob cornel i ddal y rhisgl neu'r garreg.

Cofiwch archwilio'r potyn **bob dydd**.

3. Hambwrdd curo

Y dull symlaf o gasglu yw ysgwyd cangen a gosod cynfas wen 1 metr sgwâr oddi tani. Gallwch gasglu'r anifeiliaid oddi ar y gynfas wen.

Pryf Genwair (Abwydyn)

Mewn gardd fechan, mae tua 30,000 o bryfed genwair yn y pridd. Mae pob pryf genwair yn twnelu tua 20 cm bob dydd. Bydd y twneli hyn yn helpu draenio'r pridd a hefyd yn gadael i aer fynd trwyddo. Mae trin y pridd fel hyn yn gwneud lles mawr i'r planhigion sy'n tyfu yn yr ardd. Bu gwyddonwyr enwog fel Charles Darwin a Gilbert White yn astudio gwaith y pryf genwair yn y pridd.

Dim coesau

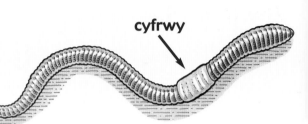

cyfrwy

DATA ... DATA ... DATA ...

Mae'r pryf genwair yn perthyn i deulu o anifeiliaid sy'n cael eu galw'n **Anelid** neu anifeiliaid â **Segmentau** yn rhan o'u corff. Mae gan bryf genwair llawn dwf tua 250 o segmentau.

DATA ... DATA ... DATA ...

DATA ... DATA ...

DATA ... DATA ...

Dim ond ar y pryf genwair sydd wedi gorffen tyfu (oedolyn) y mae'r **Cyfrwy**. Mae'n chwarae rhan bwysig yn y ffordd mae'r pryf genwair yn paru.

Segmentau

Ar bob segment mae 4 o flew mân. Pwrpas y rhain ydy helpu'r pryf genwair i symud a hefyd ei helpu i aros yn llonydd. Mae'n eu defnyddio fel coesau a hefyd fel angor. Gall symud yn weddol ar ddarn o bapur ond mae'n anodd iawn iddo symud ar arwyneb llyfn.

Ble mae'r pen a ble mae'r pen ôl?

pen pigfain

cyfrwy

segment gwastad

pen ôl

Wyddech chi

... fod gan y pryf genwair tua 700 o flasbwyntiau ar bob milimetr sgwâr o'i ben pigfain?

Anifail sy'n perthyn i grŵp o'r enw ANELID

Dysgu mwy am ... Y Pryf Genwair (Abwydyn)

Gwneud abwydfa

1. I wneud abwydfa syml defnyddiwch:
   3 darn o bren 30 cm wrth 8 cm, a dwy ddalen o blastig caled, tryloyw.
   Gosodwch y ffrâm wrth ei gilydd fel y gwelwch yn y darlun. Sgriwiwch y ddwy ddalen blastig dryloyw ar bob ochr i'r ffrâm.

2. Llenwch y gwaelod â haen 6 cm o bridd. Yna haen 6 cm o dywod. Yna haen 6 cm o bridd, ac ymlaen bob yn ail nes bydd yr abwydfa wedi ei llenwi.

3. Rhaid dyfrio'r abwydfa yn rheolaidd i sicrhau bod y pridd yn llaith.

4. Rhowch 6 – 8 pryf genwair ar wyneb pridd yr abwydfa.

   Amserwch faint mae'n ei gymryd iddyn nhw gladdu eu hunain yn y pridd.

Arbrawf

Rhowch amrywiaeth o ddail yn yr abwydfa, er enghraifft:

3 deilen	**Derwen**
3 deilen	**Bedwen**
3 deilen	**Dant y Llew**
3 deilen	**Pinwydden**
3 deilen	**Letysen**

Pa ddail sy'n cael eu dewis gyntaf?
Oes yna ddail wedi eu gadael ar ôl?
Sut mae'r dail yn cael eu tynnu i'r pridd?

Torrwch ddau ddarn o gerdyn trwchus tywyll a'u gosod dros ochrau tryloyw yr abwydfa. Gadewch y cyfan am 7 i 10 diwrnod. Tynnwch y cardiau oddi ar yr ochrau.
Ewch ati i gofnodi:

Beth oedd yn digwydd cyn gynted ag yr oedd golau yn cyrraedd yr abwydfa?
Oes yna ddail heb eu bwyta?
Os oes, pa rai?
Beth sydd wedi digwydd i'r gwahanol haenau o bridd wrth i'r pryf genwair durio trwyddo?
Beth oedd pwrpas gorchuddio ochrau'r abwydfa?

Ymchwiliwch unwaith eto gan amrywio'r gwahanol fwydydd.
Gallech ddefnyddio:
darnau o gig, moron, papur a siocled.

Malwen

Gyda'r nos, yn yr haf, y bydd y falwen yn dod allan o'i chragen. Dyma'r adeg y bydd hi'n bwydo, yn paru a dodwy. Yn yr hydref a'r gaeaf, bydd y falwen yn **Gaeafgysgu** tu mewn i'w chragen. Bydd yn cau ceg ei chragen â math o **Lysnafedd**. Yr enw ar y llysnafedd caled hwn yw **Llengig**. Bydd y llengig yn cadw'r falwen rhag sychu a marw.

Dim coesau

cragen

2 lygad ar flaen y tentacl hir

troed   twll anadlu   tentacl byr

DATA ... DATA ... DATA ...

Maint:	Cragen - 4 cm
	Corff - 6 cm
Lliw:	Cragen - brown a du
	Corff - llwyd
Wyau:	Tua 40, lliw gwyn
Cyfnod bywyd:	hyd at 10 oed

DATA ... DATA ... DATA ...

Dodwy wyau

Er bod gan bob malwen unigol rannau rhywiol benywol a gwrywol, mae'n rhaid cael dwy falwen i baru. Ar ôl paru bydd y ddwy falwen yn dodwy tua 40 o wyau gwynion yn y pridd. Ymhen mis bydd y malwod bychain yn deor o'r wyau. Bydd y malwod bychain hyn yr un fath â'u rhieni. Bydd gan bob un gragen fechan dryloyw.

Gwahanol fathau o falwod

1. **Malwen Safn Wen**

2. **Malwen Flewog**

Wyddech chi

... fod gan y falwen tua 2000 o ddannedd? Mae'r rhain wedi eu gosod ar stribed corniog yn ei cheg. Does dim rhyfedd bod planhigion yn ein gerddi'n diflannu!

Anifail sy'n perthyn i grŵp o'r enw MOLWSG

Dysgu mwy am ... Y Falwen

Gelynion y Falwen

Mae llawer o anifeiliaid yn hoffi bwyta malwod. Bydd y fronfraith yn dal y falwen yn ei phig ac yna'n ei tharo yn erbyn carreg. Pan fydd y gragen wedi torri bydd y fronfraith yn bwyta corff y falwen. Bydd y fronfraith yn defnyddio yr un garreg dro ar ôl tro. O gwmpas y garreg bydd llawer o gregyn wedi torri. Mae'r draenog hefyd yn hoff o fwyta malwod. Ond gelynion pennaf y falwen ydyn ni, fodau dynol, sy'n defnyddio pob math o wenwyn i gael gwared â nhw. Y ffordd orau i gael gwared â malwod o'r ardd ydy eu casglu a mynd â nhw i lecyn arall sy'n ddigon pell o'r ardd.

Beth mae malwod yn ei fwyta?

Rhowch amrywiaeth o ddail o'r ardd mewn cynhwysydd. Rhowch ychydig o falwod yn y cynhwysydd. Cofiwch gadw'r cynhwysydd yn llaith. Cofnodwch yn fanwl beth maen nhw'n fwyta:

Enw'r ddeilen	Yn cael ei bwyta? Ydy/Nac ydy
Deilen dant y llew	
Deilen riwbob	

Beth sy'n digwydd i falwen pan mae'n oeri?

Rhowch ychydig o falwod mewn cynhwysydd â rhew o'i gwmpas. Rhowch rai eraill mewn cynhwysydd heb rew o'i gwmpas. Sylwch yn fanwl ar yr hyn sy'n digwydd dros gyfnod o wythnos. Cofiwch, bydd rhaid cael rhew newydd yn gyson.
Ydy'r malwod wedi ffurfio llengig?
Pa rai?
Pam?

Ydyn nhw'n hoffi lle sych neu le llaith?

Rhowch ychydig o falwod mewn cynhwysydd sych gyda cherrig, pridd a phlanhigion.
Rhowch rai eraill mewn cynhwysydd llaith gyda cherrig, pridd a phlanhigion.
Beth sy'n digwydd i'r malwod yn y ddau gynhwysydd? Cofnodwch eich sylwadau.

Gwlithen

Mae'r wlithen yn enwog am wneud niwed i blanhigion yn yr ardd. Sut mae creadur mor fychan yn gallu gwneud cymaint o ddifrod? Mae gan y wlithen dafod sy'n cael ei alw'n **Radwla**. Mae hwn yn union fel papur gwydrog. Yn raddol, bydd y radwla yn gwisgo ond bydd yn dal i aildyfu, yn union fel ein hewinedd ni. Mae rhesi o fân ddannedd yn parhau i dyfu ar y radwla. Felly, fydd byth angen dannedd gosod ar y wlithen!

> **Dim coesau**

2 dentacl byr i flasu

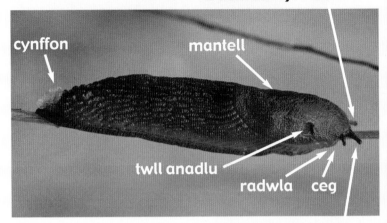

cynffon — mantell — twll anadlu — radwla — ceg

2 dentacl hir i weld

> **DATA ... DATA ... DATA ...**
> **DATA ...**
> Mae 20 o wahanol fathau o wlithod yng Ngwledydd Prydain.
> **DATA ...**
> **DATA ... DATA ... DATA ...**

Mantell y wlithen

Ar gefn y wlithen mae darn o'i chorff sydd yn fwy llyfn na'r gweddill. Yr enw ar y darn llyfn hwn yw **Mantell**. Os bydd y wlithen yn cael ei dychryn bydd yn gwasgu ei hun at ei gilydd o dan y croen llyfn hwn. Ar ymyl y croen llyfn y mae twll anadlu'r wlithen.

Llysnafedd

Mae pob gwlithen yn wryw a benyw. Er mwyn paru bydd dwy wlithen yn dilyn ei gilydd a rhyddhau **Llysnafedd** ar eu llwybrau. Ar ôl paru bydd y ddwy yn dodwy wyau yn y pridd neu'r domen gompost yn yr ardd. Bydd y gwlithod yn bwyta'r llysnafedd. Mae'r llysnafedd hefyd yn ffordd o amddiffyn eu hunain tra byddan nhw'n paru. Mae'r llysnafedd hwn yn ludiog iawn.

Wyddech chi

... fod y wlithen lwyd, sydd â'i hyd yn 15 cm, yn hoff o ddod i'r tŷ, ac mai ei hoff fwyd yw menyn, llefrith/llaeth a hufen?

Anifail sy'n perthyn i grŵp o'r enw MOLWSG

Yn ddannedd i gyd!

Pan fyddwch chi wedi bwyta darn o afal bydd ôl eich dannedd i'w weld yn y ffrwyth. Gallwch weld ôl dannedd gwlithen hefyd pan fydd hi wedi bod yn bwyta rhywbeth.

Tynnwch ddarn o hen ffilm o'i rolyn a'i adael mewn dŵr am ychydig. Yna rhowch ef mewn cynhwysydd gyda 5 neu 6 o wlithod. Gadewch nhw dros nos. Rhowch y ffilm o dan olau lamp ac fe welwch grafiadau bychain ar y ffilm. Defnyddiwch chwyddwydr i'w gweld yn well. Cofnodwch yr hyn a welwch.

Patrymau

Pa mor dda ydy golwg y wlithen?

Gosodwch gynfas metr sgwâr ar lawr. Gosodwch flociau, fel y rhai a welwch yn y llun, tua 8 – 10 cm oddi wrth ei gilydd. Yna taenwch ychydig o bowdr talc dros wyneb y cynfas i gyd. Casglwch tua 10 i 15 o wlithod. Rhyddhewch nhw i gyd ar ganol y cynfas. Cofnodwch beth sy'n digwydd. Ceisiwch wneud hyn mewn ystafell dywyll yn ystod y dydd neu gartref gyda'r nos. Erbyn y bore byddwch yn gallu gweld pa ffordd mae'r gwlithod wedi symud trwy edrych ar ôl eu llwybrau yn y powdr talc.

Dyma gwestiynau i chi eu hystyried.

- Ydyn nhw wedi gallu gweld eu ffordd rhwng y blociau yn ddidrafferth?
- Ydyn nhw wedi mynd yn erbyn y blociau?
- Ydyn nhw wedi dilyn llwybr syth, uniongyrchol?

Gallwch wneud yr un ymchwiliad â malwod.

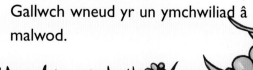

Morgrugyn

Mae'r morgrug yn byw gyda'i gilydd yn deuluoedd neu gymdeithasau. Yn y teulu neu'r gymdeithas bydd tri gwahanol fath o forgrugyn, sef y **Frenhines**, y morgrug **Gwryw** a'r **Gweithwyr**. Morgrugyn benywol yw'r frenhines a'i gwaith hi yw dodwy wyau. Benywod yw'r gweithwyr hefyd ond dydyn nhw ddim yn gallu dodwy. Tasg y gweithwyr yw gwneud y nyth, chwilio am fwyd a gofalu am y larfau a'r pwpaod. Gwaith y morgrug gwryw yw paru â'r breninesau ifanc.

6 choes
3 rhan i'r corff

pen ôl   6 choes

3 rhan i'r corff   corff

2 deimlydd   pen

DATA ... DATA ... DATA ...

DATA ...

Mae tua 8,000 o wahanol fathau o forgrug – y rhan fwyaf ohonyn nhw'n byw yng ngwledydd y trofannau.

DATA ...

DATA ... DATA ... DATA ...

Camau yng nghylchred bywyd y morgrugyn

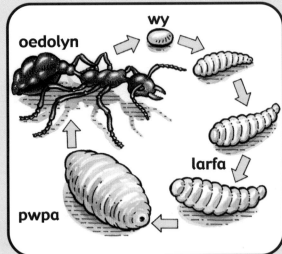

oedolyn

wy

larfa

pwpa

Dawns mis Awst

Yn ystod mis Awst, fel arfer, bydd y frenhines yn gadael y nyth a hedfan i'r awyr. Bydd yn cael ei dilyn gan y morgrug gwryw. Fel rheol, bydd morgrug o nythod eraill yn heidio ar yr un pryd. Bydd cyfle i wryw o un nyth briodi â brenhines o nyth arall. Bydd y gwryw yn trosglwyddo sberm i goden arbennig sydd gan y frenhines. Bydd y sberm hwn yn ffrwythloni wyau'r frenhines. Ar ôl i'r frenhines gael ei ffrwythloni bydd yn torri ymaith ei hadenydd a'i choesau. Wedyn bydd yn gwneud twll yn y ddaear i ffurfio siambr fechan ac yno y bydd hi'n aros nes bod yr wyau wedi deor.

Wyddech chi

... fod rhai mathau o forgrug yn gallu chwistrellu gwenwyn dros bellter o 25 cm?

Anifail sy'n perthyn i grŵp o'r enw HYMENOPTERA

Dysgu mwy am ...Y Morgrugyn

Gwneud morgrugfa

Rhaid cadw'r pridd yn llaith trwy'r amser. Gallech chwistrellu dŵr claear dros wyneb y pridd bob dydd.

Mae'n rhaid bwydo'r morgrug. Rhowch siwgr a/neu lyslau iddyn nhw.

Trochwch ddarn o wlân cotwm mewn dŵr, ei roi mewn ffoil alwminiwm a'i suddo i'r pridd. Gorchuddiwch wydr y forgrugfa â phapur du. Ar ôl cyfnod o ddau i dri diwrnod, tynnwch y papur du.

Beth sydd wedi digwydd? Ydy'r morgrug yn cadw gwahanol larfau a phwpaod mewn gwahanol grwpiau ar wahân?

Faint o grwpiau welwch chi yn y forgrugfa?

Beth mae'r morgrug yn ei gario?

Welwch chi'r morgrug yn defnyddio eu **Teimlyddion**?

Pam maen nhw'n gwneud hyn?

Gallwch wneud morgrugfa syml fel hyn:

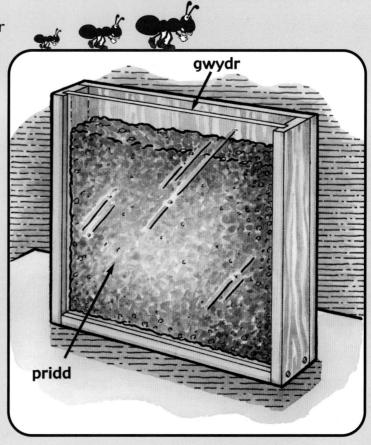

gwydr

pridd

Gwaith darllen

Chwiliwch am hanes y morgrug mewn storïau a barddoniaeth. Er enghraifft, dyma bennill o'r 17eg Ganrif gan y Ficer Prichard:

Chwiliwch hefyd am yr adnod hon yn Hen Destament y Beibl: Llyfr Diarhebion, pennod 6, adnod 6.

*"Deffro, cyfod di, ddiogyn,
Dos, a dysg gan y morgrugyn.
Mae e'n casglu y cynhaeaf
Fwyd a lluniaeth erbyn gaeaf."*

Pryf Pric

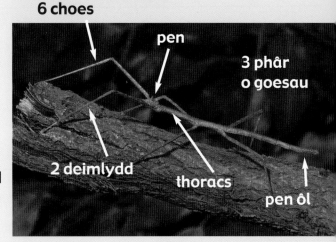

6 choes
3 rhan i'r corff

6 choes

pen

3 phâr
o goesau

2 deimlydd

thoracs

pen ôl

Dydy'r pryf pric ddim yn gynhenid i wledydd Prydain, er bod rhai pryfed pric i'w cael yn ne Ewrop. Gallwch fagu'r pryf pric yn eich ystafell ddosbarth. (Mae cyfeiriadau darparwyr ar dudalen 37.) Pan fydd y pryf pric cyffredin wedi cyrraedd ei lawn dwf bydd yn mesur 7 – 8 cm. Benywod ydy'r rhan fwyaf o'r pryfed pric cyffredin. Mae'r gwrywod yn bethau prin, ac maen nhw'n dipyn llai na'r benywod. Bydd y fenyw yn dodwy tua 100 o wyau bychain brown. Bydd yr wyau yn cymryd tua 3 – 5 mis i ddeor; weithiau gall y cyfnod fod hyd at 9 mis. Bydd nymff bychan, yr un ffunud â'i fam, yn deor o'r wy. Ar ôl ychydig ddiwrnodau bydd y nymff yn mynd ati i ymborthi ar ddail.

DATA ... DATA ... DATA ...

DATA ...

Prif fwyd y pryf pric cyffredin, sef Pryf Pric India, ydy: prifet (yswydden), dail mwyar duon a dail eiddew (iorwg).

DATA ...

DATA ... DATA ... DATA ...

Enw	Bwyd	Tymheredd
Sipyloidea sipylus **Pryf Pric Asgellog**	Dail mwyar duon	20 – 22°C
Baculum extadenetatum **Pryf Pric Annam**	Dail mwyar duon, derw, rhosyn	22 – 24°C
Extatosoma tiaratum **Pryf Pric Dreiniog**	Dail mwyar duon, derw, eiddew, collen	24 – 26°C
Oreophoetes peruana **Pryf Pric Periw**	Rhedyn	23 – 25°C

Os ydych am fagu pryfed pric yn y dosbarth:

Cofiwch

- roi planhigyn eu bwyd mewn dŵr
- peidio â'u cadw yn llygad yr haul
- eu cadw mewn lle cynnes (pryfed pric cyffredin ar tua 20 – 22°C)
- eu bod yn epilio - efallai y bydd gennych gannoedd cyn pen blwyddyn

Wyddech chi

... fod hyd oedolyn un math o bryf pric, sef Acrophylla titan, tua 35 cm?

Anifail sy'n perthyn i grŵp o'r enw PHASMIDA

Dysgu mwy am ...Y Pryf Pric

Cuddliw Pryf Pric

Fel arfer, mae lliwiau anifeiliaid a phryfed yn cyd–fynd â'r amgylchedd y maen nhw'n byw ynddo. Mae hyn yn golygu eu bod yn llai amlwg ac felly'n gallu cuddio oddi wrth eu gelynion. Ymchwiliwch i hanes creaduriaid sy'n defnyddio **Cuddliw**. Beth am adar ac anifeiliaid?

Mae'r pryf pric yn gallu newid ychydig ar ei liw er mwyn cuddio mewn amgylchedd newydd.

Chwiliwch am ddail golau a dail tywyll.

Gallwch ddefnyddio dail ffawydd neu fedw ar gyfer dail golau, a derw neu eiddew ar gyfer dail tywyll.

Defnyddiwch 4 bocs esgidiau.

Rhowch ddail golau yn y bocs cyntaf, a chaead arno.

Rhowch ddail golau heb eu gorchuddio yn yr ail focs.

Rhowch ddail tywyll yn y trydydd bocs, a chaead arno.

Rhowch ddail tywyll heb eu gorchuddio yn y pedwerydd bocs.

Ym mhob bocs rhowch 3 neu 4 o bryfed pric brown. Gallwch ddefnyddio rhai sydd heb gyrraedd eu llawn dwf.

Rhag ofn i'r pryfed ddianc o'r ddau focs sydd heb gaead, gallwch roi glynlen dros y bocs.

Gadewch y cyfan am ddiwrnod neu ddau. Beth sydd wedi digwydd?

Oes yna wahaniaeth yn lliw y gwahanol bryfed pric yn y 4 bocs?

Os oes gwahaniaeth, allwch chi ddyfalu pam mae hyn wedi digwydd?

Oes ôl bwyta ar y dail yn y gwahanol focsys?

Pa ddail oedden nhw'n eu hoffi fwyaf?

Cofnodwch yn ofalus.

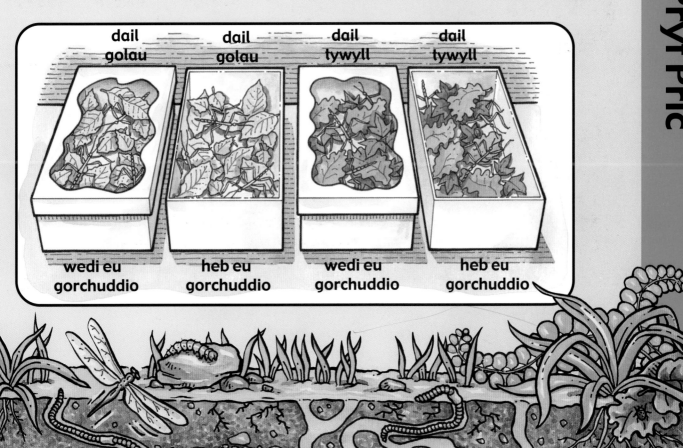

dail golau — wedi eu gorchuddio

dail golau — heb eu gorchuddio

dail tywyll — wedi eu gorchuddio

dail tywyll — heb eu gorchuddio

Pryf Clustiog

6 choes
3 rhan i'r corff
pâr o adenydd bychain (cloradenydd

Mae'r pryf clustiog yn hoff o unrhyw guddfan lle mae'n gallu bod yn ddiogel. Tybed pam mae'n cael ei alw'n bryf clustiog? Am ei fod yn hoff o fynd i glustiau pobl pan maen nhw'n cysgu? Mae yna ambell gofnod o'r pryf hwn wedi ei ddarganfod mewn clust ddynol, ond nid dyna pam y cafodd yr enw pryf clustiog. Mae'n dod o hen air Saesneg.

Dodwy a gwarchod

Bydd y fenyw yn dodwy tua 50 o wyau gwyn.
Mae'r rhan fwyaf o drychfilod yn gadael yr wyau ar ôl iddyn nhw gael eu dodwy, ond mae benyw y pryf clustiog yn aros a'u gwarchod. Os bydd yr amgylchedd yn mynd yn rhy sych bydd y fenyw yn cerdded yn ysgafn dros yr wyau a'u llyfu fesul un. Os bydd yr wyau yn cael eu gwasgaru gan unrhyw greadur arall bydd hi'n mynd ati i'w casglu at ei gilydd.

abdomen
pâr o gloradenydd
thoracs
pen
llygaid cyfansawdd
2 deimlydd

Gefeiliau ar y pen ôl

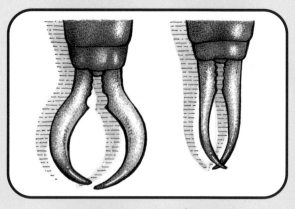

gwryw: gefeiliau crymog

benyw: gefeiliau hir

Wyddech chi

... fod y pryf clustiog yn perthyn i deulu o bryfed sy'n cael eu galw yn **Dermaptera**? Ystyr y gair Groeg hwn ydy derma – croen, ptera – adenydd. Felly, mae'n golygu 'adenydd croeniog'.

Anifail sy'n perthyn i grŵp o'r enw DERMAPTERA

Gwybod y ffordd

Bydd arnoch angen blociau i wneud drysfa â'i hyd yn $1\frac{1}{2}$ i 2 cm. Mesurwch yr amser mae pryf clustiog yn ei gymryd i fynd o un pen y ddrysfa i'r llall. Gallwch roi petalau blodau ym mhen draw'r ddrysfa i geisio ei ddenu yno. Amserwch daith y pryf clustiog yn fanwl bedair gwaith, gan roi cyfle iddo orffwys am gyfnod ar ôl pob ymdrech. Byddai'n ddiddorol gwneud yr ymchwiliad hwn bob dydd am wythnos gyfan. Beth ydy eich casgliad ar ddiwedd yr wythnos?

	Diwrnod				
	1	2	3	4	5
tro cyntaf					
ail dro					
trydydd tro					
pedwerydd tro					

Cuddio

Ym mhle mae'r pryf clustiog yn hoffi cuddio? Paratowch gynhwysydd gan roi pridd llaith yn ei waelod. Rhowch wahanol bethau yn y cynhwysydd:

carreg, rhisgl, model clai o glust, dail crin, papur tywyll wedi'i rolio. Rhowch 3 neu 4 o bryfed clustiog yn y cynhwysydd. Rhowch bapur neu liain tywyll dros y cynhwysydd.

I ble mae'r pryfed clustiog yn mynd? Ydyn nhw'n mynd gyda'i gilydd ynteu fesul un neu ddau? Cofnodwch yn fanwl. Gwnewch yr ymchwiliad bedair gwaith. Ydyn nhw'n cuddio yn yr un man bob tro?

Nifer y pryfed clustiog					
4					
3					
2					
1					
	dan garreg	rhisgl	dail crin	model clai o glust	papur tywyll

Pryf Chwythu

> 6 choes
> 3 rhan i'r corff
> 1 pâr o adenydd

Wrth i'r tywydd gynhesu bydd y pryfed chwythu i'w gweld ym mhob man – o'r bwrdd bwyd i dwlc y mochyn! A dyma'r rheswm, mae'n debyg, pam mae pawb yn eu casáu, am eu bod yn cario heintiau o un lle i'r llall. Maen nhw'n bwyta pob math o wahanol fwydydd gan ddefnyddio eu ceg fel sbwng i sugno a throi'r bwyd yn hylif. Gall y bwyd amrywio o **Neithdar** i chwys dynol a hyd yn oed sudd o greaduriaid sydd wedi marw. Felly, os ydy'r pryf chwythu yn glanio ar eich salad, efallai ei fod newydd gael pryd da o lygoden farw cyn cyrraedd y bwrdd!

llygaid cyfansawdd   3 phâr o goesau

1 pâr o adenydd

DATA ... DATA ... DATA ...

Mae dros 5,000 o wahanol fathau o bryfed yn perthyn i'r grŵp yma - yn eu plith y pryf tŷ, y pryf teiliwr a'r mosgito.

DATA ... DATA ... DATA ...

Pâr o adenydd

Ydy hyn yn wir, tybed? Os edrychwch chi'n fanwl ar bryf tŷ, fe welwch fod ganddo bâr o adenydd bychain bach, sef **Tafolion**. Pwrpas y rhain ydy cadw cydbwysedd y pryf - ei helpu i gadw'n sefydlog wrth hedfan. Mae'r tafolion hyn i'w gweld yn amlwg mewn aelodau eraill o'r grŵp hwn, e.e. pryf teiliwr.

Cylchred bywyd

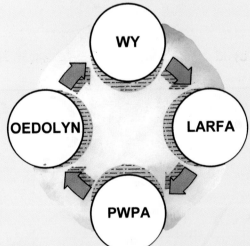

WY

LARFA

PWPA

OEDOLYN

Wyddech chi

... petai pâr o bryfed chwythu yn cael cyfle i fagu am bedwar mis yn unig, heb ysglyfaethwyr i ymosod arnyn nhw, byddai nifer y pryfed yn ddigon i orchuddio wyneb y Ddaear at ddyfnder o 15 metr?

Anifail sy'n perthyn i grŵp o'r enw DIPTERA

Dysgu mwy am ...Y Pryf Chwythu

Dilyn y gylchred bywyd – tasg ddrewllyd!

Er mwyn osgoi'r drewdod, beth am edrych ar y **Gylchred Bywyd** yn ddwy ran, fel hyn:

Os oes siop yn gwerthu offer pysgota yn eich ardal, ewch yno i brynu ychydig o gynrhon. Larfau'r pryf chwythu ydy'r rhain, sef dechrau ail ran y gylchred bywyd.

Rhannwch y larfau i wahanol gynwysyddion.

Gosodwch y cynwysyddion mewn gwahanol leoedd, e.e. un yn yr ystafell ddosbarth, un yng ngardd yr ysgol, un yn agos at reiddiadur ac un â rhew o'i gwmpas.

Faint o amser mae'r larfau yn ei gymryd i newid yn bryfed chwythu?

Lleoliad y cynhwysydd	Nifer y diwrnodau
yn yr ystafell ddosbarth	
yng ngardd yr ysgol	
yn agos at reiddiadur	
â rhew o'i gwmpas	

Gadewch i ni, yn awr, astudio rhan gyntaf cylchred bywyd y pryf chwythu. Gwell gwneud hyn allan yng ngardd yr ysgol neu ar yr iard!

Rhowch ddarn bach o gig ar blât a'i adael. Cyn gynted ag y bydd y cig yn pydru a dechrau drewi, bydd heidiau o bryfed chwythu yn glanio arno.

Bydd wyau gwyn neu felyn yn ymddangos yn y cig.
Ymhen 1 diwrnod bydd yr wyau yn deor. Yna, bydd y larfau yn mynd ati i fwyta'r cig pydredig!
A dyma ran gyntaf y gylchred bywyd.

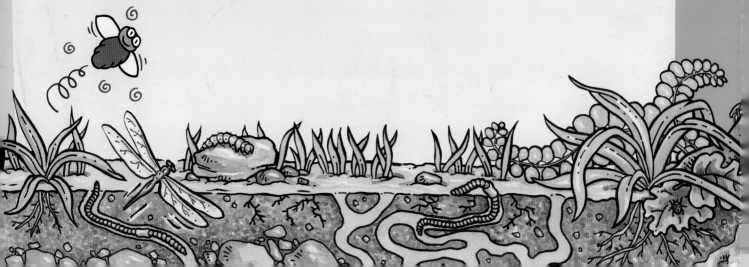

Buwch Goch Gota

6 choes
3 rhan i'r corff

Dros y gaeaf bydd niferoedd o'r pryfed hyn yn **Gaeafgysgu**. Pan ddaw'r gwanwyn byddan nhw'n deffro, dechrau hedfan a chwilio am gymar. Bydd y fenyw yn dodwy clwstwr o wyau, rhwng 3 a 50 ar y tro. Bydd yr wyau melyn yn cael eu dodwy ar ddail. Ymhen 8 diwrnod bydd yr wyau'n deor a'r larfau bychain duon yn dechrau bwyta'r dail. Bydd cyfnod y larfa yn parhau am tua 3 wythnos. Yn ystod y cyfnod bydd cannoedd o lyslau'n cael eu bwyta.

pen

3 phâr o goesau

teimlyddion

DATA ... DATA ... DATA ...

Mae 42 o wahanol fathau o fuchod coch cota yng ngwledydd Prydain.

DATA ... DATA ... DATA ...

Ym 1928 rhyddhawyd 48 miliwn o fuchod coch cota mewn perllan yn nhalaith California, America. Pwrpas hyn oedd gweld a fydden nhw'n ymosod ar bryfed eraill a oedd yn gwneud cymaint o ddrwg i'r ffrwythau.

Wyddech chi

... fod yna ym Mhrydain fuwch goch gota â 24 o smotiau arni? Nid buwch goch ydy hi, ond buwch felen! Ac nid llyslau ydy ei bwyd hi - bwyta dail meillion mae'r Fuwch Felen Gota!

Anifail sy'n perthyn i grŵp o'r enw COLEOPTERA

Dysgu mwy am ...Y Fuwch Goch Gota

Pryd o fwyd

Yn y gwanwyn, chwiliwch am wyau'r fuwch goch gota o dan ddail tafol. Ar ôl i'r wyau ddeor, rhowch y larfau mewn gwahanol gynwysyddion. Rhowch 12 o lyslau gyda phob larfa yn ystod y dydd. Ydyn nhw'n eu bwyta? Rhowch 12 o lyslau iddyn nhw dros nos. Ydyn nhw'n bwyta mwy yn ystod y dydd neu dros nos? Gwnewch yr ymchwiliadau hyn am wythnos (5 diwrnod). Amrywiwch nifer y llyslau yn ôl y galw.

Cofnodwch fel hyn:

Cyfnod	Nifer y llyslau
Dydd Llun	
Nos Lun	
Dydd Mawrth	
Nos Fawrth	

Llyslau

Pryfed bychain gwyrdd ydy'r rhain. Yn ystod misoedd yr haf maen nhw i'w gweld ar wahanol fathau o blanhigion. Maen nhw i'w gweld ar ddanadl poethion a hefyd ar goed rhosod.

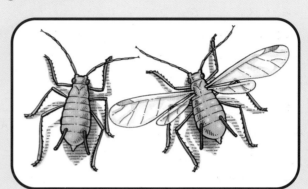

Beth sy'n digwydd pan mae'n rhy oer?

Rhowch 2 neu 3 o fuchod coch cota mewn oergell. Oergell, cofiwch, nid rhewgell. Rhowch nhw mewn cynhwysydd yn y bocs plastig sydd yng ngwaelod yr oergell (y bocs cadw llysiau). Hefyd yn y cynhwysydd rhowch ddarn o risgl coeden, carreg fechan a darn o bapur du. Gadewch nhw yn yr oergell am 5 i 6 awr. Beth sydd wedi digwydd i'r pryfed? Cofnodwch yn fanwl yr hyn sydd wedi digwydd. Ar ôl i chi eu tynnu o'r oergell, gwyliwch beth sy'n digwydd. Cofnodwch yn fanwl unwaith eto. Pam mae hyn yn digwydd, tybed?

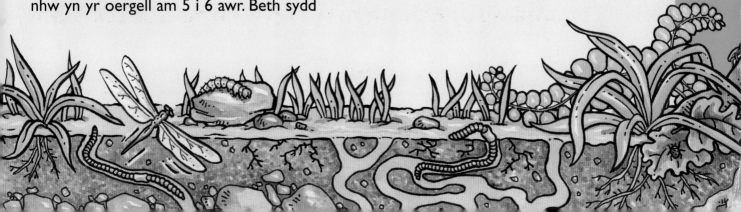

Sioncyn y Gwair

6 choes
3 rhan i'r corff

Yn ystod misoedd yr haf bydd y sioncynnod i'w gweld yng nghanol y borfa. Gwyrdd yw lliw y rhan fwyaf o'r pryfed hyn ond mae rhai yn frown a llwyd. Mae gan rai mathau **Deimlyddion** hir ac mae gan eraill deimlyddion byr. Nid â'i lais y mae sioncyn y gwair yn gwneud sŵn, ond â'i adenydd. Y gwryw fel arfer sy'n "canu". Bydd y mathau sydd â theimlyddion hir yn cynhyrchu'r sŵn trwy rwbio bôn eu hadenydd yn erbyn ei gilydd gan wneud iddyn nhw grynu'n gyflym. Bydd y rhai â theimlyddion byr yn rhuglo'u coesau yn ôl yn erbyn eu hadenydd.

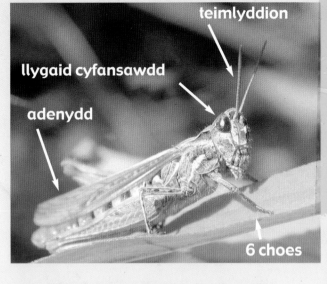

teimlyddion

llygaid cyfansawdd

adenydd

6 choes

DATA ... DATA ... DATA ...

DATA ...

Mae 30 o wahanol fathau o sioncynnod yng ngwledydd Prydain. Mae dros 10,000 o wahanol fathau yn y byd.

DATA ...

DATA ... DATA ... DATA ...

Pam maen nhw'n canu?
Does neb yn gwybod yn iawn beth yw'r ateb i'r cwestiwn hwn. Gadewch i ni ddyfalu. Maen nhw'n byw mewn tyfiant trwchus er mwyn gwarchod eu hunain ac mewn amgylchedd o'r fath mae'n anodd dod o hyd i gymar. Felly ai canu ydy'r ffordd orau o ddenu cymar? Mae adar yn gwneud hyn ddechrau'r gwanwyn, felly tybed ydy hyn yn wir am y sioncynnod hefyd.

Camau yng nghylchred bywyd Sioncyn y Gwair

- Yr iâr yn defnyddio'r **Wyddodydd** sydd ganddi i durio twll yn y pridd neu mewn planhigyn i ddodwy wyau.
- Dodwy rhwng 2 a 100 o wyau, yna eu gorchuddio â math o ewyn gwyn i'w cadw'n ddiogel dros y gaeaf.
- Deor yn y gwanwyn. Yn debyg i'w rieni ond dim adenydd.
- **Bwrw'i groen** 5 gwaith cyn cyrraedd llawn dwf.

Wyddech chi

... fod gan sioncyn y gwair glustiau ond nid rhai tebyg i'n rhai ni? A wyddoch chi ble maen nhw ar ei gorff? Coeliwch neu beidio, ar ochr ei **Abdomen**, sef ei ben ôl.

Anifail sy'n perthyn i grŵp o'r enw SALTATORIA

Dysgu mwy am ...Sioncyn y Gwair

Os nad ydych yn gallu dod o hyd i sioncynnod yn ystod misoedd yr haf, gallwch ddysgu mwy am y grŵp hwn o bryfed trwy astudio aelod arall, sef y locust. Edrychwch ar y dudalen "Cyfeiriadau defnyddiol" i gael gweld sut i fynd ati i archebu'r pryfed diddorol hyn.

Mae dau fath ar gael:

Y Locust Mudol a Locust yr Anialwch

Magu locustiaid

Yn eu cawell, bydd angen:
- tymheredd uchel: 32 – 35°C yn ystod y dydd a 25 – 30°C dros nos
- bwyd: gwair ffres, bran, letys a dail mwyar duon
- er mwyn i'r fenyw gael dodwy: cynhwysydd o ddyfnder 15 cm, gyda thywod llaith ynddo.

Cofiwch lanhau'r cawell yn gyson.

Naid hir

Ar gyfer ymchwilio, defnyddiwch y nymffod – y locustiaid sydd heb gyrraedd eu llawn dwf (nid yr oedolion – mae adenydd ganddyn nhw).
Cymerwch ddau neu dri o'r nymffod.

Bydd rhaid bod yn ofalus gan eu bod yn neidwyr ardderchog.
Rhowch nhw ar ganol tir moel (iard neu neuadd yr ysgol).
Rhyddhewch nhw o'r un lle a mesurwch y naid.
Mesurwch bob naid yn ofalus. Bydd rhaid i bâr ohonoch gydweithio – un i gofnodi'n union lle mae'r nymff yn glanio, a'r llall i fesur.
Pa mor bell oedd y naid fwyaf?
Gwnewch yr ymchwiliad hwn ar ddiwrnod heulog, cynnes ac yna ar ddiwrnod cymylog ac, os yn bosibl, ar ddiwrnod oer.
Oes yna wahaniaethau yn hyd y naid?
Allwch chi roi rhesymau pam?
Cofnodwch hyn yn ofalus.

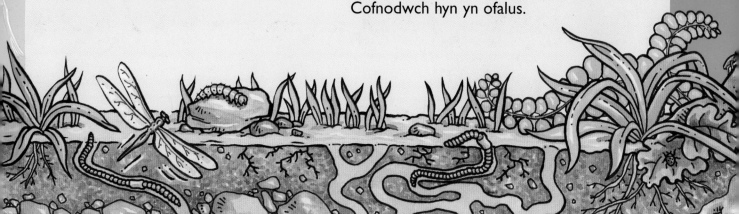

Glöyn Byw (Pili Pala)

6 choes
3 rhan i'r corff
2 bâr o adenydd

Mae pob glöyn byw yn mynd trwy **Gylchred Bywyd** gyflawn. Y cam cyntaf ydy'r **Wy**. Bydd **Larfa** (lindysyn) yn deor o'r **Wy**. Peiriant bwyta ydy'r **Larfa**. Bydd yn tyfu trwy fwrw ei groen. Bydd yn **Bwrw'i groen** 5 gwaith. Ar ôl y pumed tro bydd yn troi yn **Bwpa** neu chwiler. Tu mewn i'r **Pwpa** bydd yn trawsffurfio'n **Löyn byw**.

pen

2 deimlydd pastynog

corff (thoracs

pen ôl (abdomen)

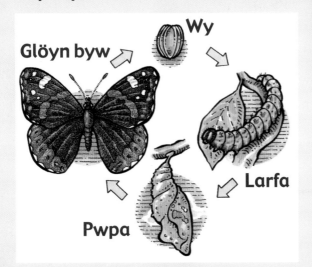

Glöyn byw

Wy

Larfa

Pwpa

Mae gan y glöyn byw 4 o adenydd, sef 2 adain flaen a 2 adain ôl. Mae **Cen** neu lwch yn gorchuddio'r adenydd. Y cen sy'n rhoi lliw i'r adenydd. O edrych ar y cen o dan chwyddwydr, maen nhw'n union fel llechi wedi eu gosod ar do tŷ.

DATA ... DATA ... DATA ...

DATA...

Mae tua 60 o wahanol fathau o loynnod byw yng ngwledydd Prydain.

DATA...

DATA ... DATA ... DATA ...

Duryn

Dyma'r enw ar dafod y glöyn byw. Bydd yn agor ei dduryn ac yn ei wthio i mewn i'r blodyn er mwyn gallu sugno'r **Neithdar**. Ar ôl iddo orffen bwyta, bydd y glöyn byw yn cyrlio'i dduryn yn ôl o dan ei ên.

Wyddech chi

... fod y glöyn byw yn blasu pethau â'i draed?

Anifail sy'n perthyn i grŵp o'r enw LEPIDOPTERA

Dysgu mwy am ...Y Glöyn Byw (Pili Pala)

Yr ail gam yng **Nghylchred Bywyd** y glöyn byw ydy'r **Larfa** (lindysyn). Y cyfan y mae'r **Larfa** yn ei wneud ydy bwyta. Beth am astudio'r **Glöyn Mawr Gwyn**? Gallwch brynu wyau'r glöyn hwn o fferm loynnod byw (cyfeiriad yng nghefn y llyfr).

Ar ôl i'r wyau ddeor bydd y larfau yn bwyta plisgyn yr wy ac yna'n dechrau bwyta'r planhigyn bwyd.

Pa blanhigion maen nhw'n eu hoffi?

dail	yn eu hoffi	ddim yn eu hoffi
dant y llew		
derwen		
bresych		
bedwen		
tafol		

Fe gewch chi ychwanegu at y rhestr hon.

Pwpaod yn newid eu lliw?

Ar ôl i chi arbrofi â'r gwahanol fwydydd, rhannwch y larfau yn dri grŵp. Rhowch un grŵp, gyda'u hoff fwyd, mewn blwch gwyrdd tywyll. Rhowch yr ail grŵp, gyda'u hoff fwyd hwythau, mewn blwch gwyrdd golau, a rhowch y trydydd grŵp mewn bocs gwyn.

Ar ôl iddyn nhw gael llond eu boliau fe fyddan nhw'n troi yn **Bwpaod**. Fe fyddan nhw'n gwneud gwregys o sidan ac yn aros naill ai ar ochr y blwch neu ar y caead.

Ydy lliw y **Pwpaod** yr un fath? Pa wahaniaeth sydd yna? Cofnodwch hyn yn ofalus.

Pryf Copyn (Corryn)

8 coes
2 ran i'r corff
dim adenydd

Mae llawer o bobl trwy'r byd yn dioddef o **Arachnoffobia**. Gair mawr! Ei ystyr ydy "ofn pryfed cop". Pam mae eu hofn ar bobl? Am eu bod yn flewog? Am eu bod yn symud yn ddistaw? Neu am eu bod yn tueddu i ymddangos yn sydyn, heb eu disgwyl? Bychain ydy'r mwyafrif o bryfed cop ond mae yna rai sydd gymaint a chledr eich llaw, sef y **Tarantwla**. Arferai pobl gredu bod brathiad y **Tarantwla** yn wenwynig, ac mai'r unig ffordd i gael gwared â'r gwenwyn oedd trwy chwysu - a'r ffordd orau i wneud hynny oedd wrth ddawnsio'r **Tarantela**, sy'n ddawns gyflym iawn.

8 coes

corff

pen

llygaid

2 ffang

Pryd o fwyd

Mae gan bryfed cop nifer o ffyrdd o ddal eu bwyd:

- Nyddu gwe
- Neidio ar eu hysglyfaeth
- Defnyddio **Cuddliw**
- Poeri glud ar eu hysglyfaeth

Dodwy wyau

Bydd y pryf copyn yn dodwy wyau mewn sach o sidan.
Bydd rhai mathau yn cario'r sachau gyda nhw. Bydd eraill yn eu gadael i gymryd eu siawns.
Pan fydd yr wyau'n deor, bydd y pryfed cop bychain yn edrych yr un fath â'u rhieni. Fe fyddan nhw'n tyfu trwy **Fwrw'u croen**.

DATA ... DATA ... DATA ...

DATA ...

Mae sawl gwahanol fath o bryfed cop i'w cael:
dros 600 ym Mhrydain
dros 40,000 trwy'r byd.

DATA ...

DATA ... DATA ... DATA ...

Wyddech chi

... fod y pryf copyn yn defnyddio hylif o chwarren arbennig yn ei gorff i ladd ei ysglyfaeth? Bydd yr hylif yn llifo trwy'r ffang ac yn parlysu'r ysglyfaeth.

Anifail sy'n perthyn i grŵp o'r enw ARACHNIDA

Chwedl Arachne

Geneth hardd, dalentog oedd Arachne. Ond roedd ganddi un bai mawr - roedd hi bob amser yn canmol ei hun. Gallai hi wneud pob dim yn well na phawb, hyd yn oed yn well na'r dduwies Minerfa. Minerfa oedd duwies doethineb a gwniadwaith. Clywodd am Arachne a phenderfynodd wisgo fel hen wrach a mynd i ymweld â hi.

Soniodd Arachne wrth y wrach am ei gallu i nyddu a gwnïo ac meddai, "Fe hoffwn i herio'r dduwies Minerfa am nyddu." Tynnodd Minerfa ei chlogyn i ddangos pwy oedd hi ac meddai, "Dw i'n barod am unrhyw her." Dechreuodd y ddwy nyddu, a chyn hir sylweddolodd Arachne fod Minerfa yn gallu nyddu a gwnïo yn llawer iawn gwell na hi. Gwylltiodd a phenderfynodd grogi ei hun.

Dyna lle'r oedd hi'n crogi o'r nenfwd. Doedd Minerfa ddim yn hoffi ei gweld yn crogi yn y fan honno. Defnyddiodd ei galluoedd fel duwies. Cyn i Arachne farw, dyma Minerfa yn ei throi yn bryf copyn. Byddai'n rhaid iddi nyddu am weddill ei hoes. Dyna oedd ei chosb am fod mor falch.

Sut mae'r pryf copyn yn gwneud ei we?

Bydd arnoch angen amynedd mawr i wneud yr ymchwiliad hwn yn ofalus!
Rhowch bryf copyn mewn cynhwysydd.
Rhowch frigyn neu ddau mewn gwahanol rannau o'r cynhwysydd.
Ydy'r pryf copyn yn nyddu ei we ar adeg arbennig o'r dydd? Os gallwch, cofnodwch yr amser.

Beth yw bwyd y pryf copyn?

Ceisiwch gadw pryf copyn mewn cynhwysydd yn yr ystafell ddosbarth. Bydd angen digon o le iddo allu gwneud gwe. Ar ôl i'r copyn nyddu gwe, rhowch amrywiaeth o fân bryfed yn y cynhwysydd, er enghraifft gwrachen ludw, llysleuen, morgrugyn, pryf chwythu. Gwnewch dabl i ddangos eich canlyniadau.

Beth mae'r pryf copyn yn ei fwyta		
	ydy	nac ydy
gwrachen ludw		
llysleuen		

amser	gweithgaredd
14.00	dechrau nyddu
14.05	wedi gosod edafedd o un pen i'r llall

Gwrachen Ludw (Mochyn Coed)

Mae gwrachod lludw yn hoff iawn o leoedd llaith, tywyll. Maen nhw i'w cael fel arfer o dan bren wedi pydru, cerrig, a dail wedi crino. Os ydy'r tywydd yn sych a heulog, go brin y gwelwch chi wrachod lludw ond pan fo'r tywydd yn llaith fe welwch chi nhw'n cerdded yn fân ac yn fuan i bob cyfeiriad.

2 deimlydd
14 o goesau

2 deimlydd

14 o goesau

Dodwy wyau

Tua diwedd y gwanwyn bydd y fenyw yn magu bol mawr sy'n llawn o hylif. Yn yr hylif hwn y bydd hi'n dodwy ei hwyau yn ystod yr haf. Ymhen mis bydd yr wyau'n deor a bydd gwrachod lludw bach, bron yr un maint â gronynnau reis, yn dod allan o fol y fenyw. Rhai bach gwyn ydyn nhw pan maen nhw'n cael eu geni.

Enwau eraill

- Pryf twca
- Pryf tamp
- Pryf llaith

Oes yna enw arall yn eich ardal chi?

DATA ... DATA ... DATA ...

DATA ...

Mae tua 29 o wahanol fathau o wrachod lludw yng ngwledydd Prydain.

DATA ...

DATA ... DATA ... DATA ...

Wyddech chi

... fod y wrachen ludw yn bwyta ei charthion ei hun? Ych a fi!

Anifail sy'n perthyn i grŵp o'r enw ISOPOD

Dysgu mwy am ...
Y Wrachen Ludw (Mochyn Coed)

Amgylchedd addas

Rhowch bridd neu gompost mewn cynhwysydd. Dyfriwch un hanner o'r cynhwysydd a gadewch yr hanner arall yn sych. Rhowch bedair gwrachen ludw yn y pridd gwlyb a phedair yn y pridd sych. Gorchuddiwch y cynhwysydd â phapur neu liain tywyll. Gadewch y cynhwysydd yn y tywyllwch am chwarter awr. Tynnwch y gorchudd. Beth sydd wedi digwydd? Cofnodwch ble mae pob gwrachen ludw. Gwnewch yr ymchwiliad hwn bedair gwaith.

Pridd/compost	Nifer y gwrachod lludw				Cyfanswm
	tro 1af	2il dro	3ydd tro	4ydd tro	
gwlyb					
sych					

Pa amgylchedd sy'n addas i wrachod lludw?

Y tro hwn llenwch y cynhwysydd â phridd llaith.

Yna rhowch wahanol bethau fel pentwr o gerrig, rhisgl sych, dail wedi crino, un garreg, a rhisgl llaith mewn gwahanol fannau yn y cynhwysydd.

Rhowch ddeg o wrachod lludw yn y cynhwysydd.

Gorchuddiwch y cynhwysydd â phapur neu liain tywyll a'i adael am chwarter awr. Beth sydd wedi digwydd y tro hwn? Ble mae pob gwrachen ludw? Cofnodwch y niferoedd ar graff colofn fel hwn.

Nifer y gwrachod lludw	pentwr cerrig	un garreg	dail sych	dail gwlyb	rhisgl sych	rhisgl gwlyb
5						
4						
3						
2						
1						

Cantroed

mwy nag
14 o goesau

pâr o deimlyddion

segment

pâr o goesau ar bob segment

Mae nifer o wahanol fathau o gantroediaid yng ngwledydd Prydain. Mae eu lliwiau yn amrywio o liw golau i frown tywyll. Mae un peth yn gyffredin iddyn nhw i gyd – maen nhw'n gigysol. Byddan nhw'n bwyta creaduriaid eraill yn y pridd. Mae'r cantroed yn addas ar gyfer hela - corff fflat, a choesau hirion sy'n ei helpu i symud yn gyflym iawn. O dan ei ben mae ganddo grafangau ac yn y rhain mae chwarren sy'n cynhyrchu gwenwyn. Bydd y cantroed yn dal ei ysglyfaeth â'i goesau blaen ac yna'n ei wenwyno.

Pen y Cantroed

DATA ... DATA ... DATA ...

Mae tua 50 o wahanol fathau o gantroediaid yn byw yng ngwledydd Prydain.

DATA ... DATA ... DATA ...

teimlyddion yn cael eu defnyddio i deimlo ei ysglyfaeth a'r amgylchedd o'i gwmpas

llygad syml

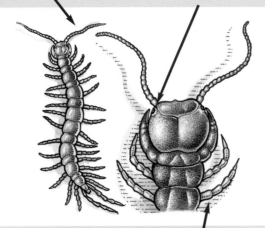

coesau – tebyg i grafangau, sy'n cael eu defnyddio i wenwyno ysglyfaeth

100 o goesau?

Tybed oes gan y cantroediaid 100 o goesau? Mae gan ambell fath o gantroed yn y gwledydd trofannol tua 100 o goesau, ond mae gan y rhai sydd yn byw yn ein gwlad ni lai na hynny. Ar bob segment mae dwy goes. Felly, gallwch gyfrif y segmentau a lluosi â 2.

Wyddech chi

.. fod rhai cantroediaid trofannol yn tyfu i 30 cm o hyd, a bod y rhain yn wenwynig iawn?

Anifail sy'n perthyn i grŵp o'r enw MYRIAPOD

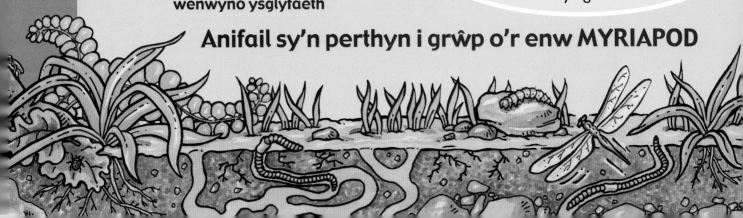

Beth ydy bwyd cantroediaid?

Chwiliwch yn y pridd neu o dan garreg am 2 neu 3 o gantroediaid. Ceisiwch gael rhai sy'n debyg i'w gilydd. Rhowch nhw ar wahân mewn cynwysyddion. Arbrofwch â gwahanol fathau o fwydydd.

Cofnodwch beth sy'n digwydd. Gallwch amrywio'r bwydydd gan ddefnyddio anifeiliaid eraill a darnau o sbarion o'r gegin. Byddai'n well gwneud yr ymchwiliad hwn mewn ystafell dywyll, neu adael yr anifeiliaid yn y cynwysyddion dros nos.

caead — caead — caead

pridd — gwrachen ludw — lindysyn — pridd — darn o gyw iâr — pridd

Ymchwilio i gyflymder y cantroed

Gwnewch gylch mawr ar bapur gwyn. Rhowch gantroed yn y canol. Defnyddiwch oriawr neu gloc i amseru faint o amser mae'r anifail yn ei gymryd i gyrraedd ymyl y cylch. Os nad yw'n mynd yn syth am ymyl y cylch, dilynwch ei lwybr â phensil ac yna mesurwch y llwybr â darn o edau. Dylech wneud hyn o leiaf chwe gwaith

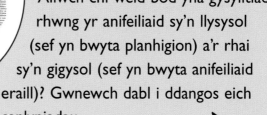

er mwyn gallu cyfrifo cyfartaledd yr amser teithio.

I gymharu, gwnewch yr un arbrawf â chreaduriaid eraill y buoch yn eu hastudio, er enghraifft morgrugyn, pryf clustiog, buwch goch gota, pryf copyn neu filtroed. Allwch chi weld bod yna gysylltiad rhwng yr anifeiliaid sy'n llysysol (sef yn bwyta planhigion) a'r rhai sy'n gigysol (sef yn bwyta anifeiliaid eraill)? Gwnewch dabl i ddangos eich canlyniadau.

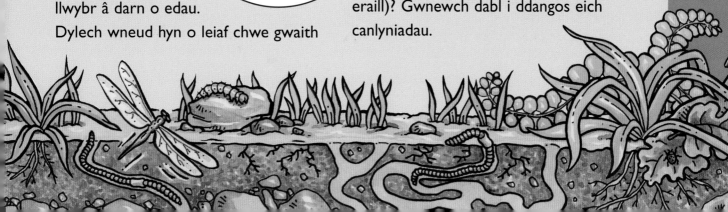

Miltroed

Ystyr yr enw "miltroed" yw 1,000 o goesau. Ond does gan y miltroed trofannol hyd yn oed ddim gymaint â hynny o goesau. Y ffordd i wahaniaethu rhwng y "miltroed" a'r "cantroed" yw cyfrif y coesau ar bob segment. Mae gan y miltroediaid 2 bâr ar bob segment. Maen nhw'n byw ar blanhigion sydd wedi marw a phydru, er bod rhai mathau yn bwyta pryfed a gwlithod sydd wedi marw.

Ar ôl paru bydd y fenyw yn adeiladu nyth syml i ddodwy ei hwyau. Bydd miltroediaid bychain yn deor o'r wyau. Yn y cyfnod hwn, dim ond 3 phâr o goesau sydd ganddyn nhw. Ymhen ychydig oriau ar ôl deor fe fyddan nhw'n **Bwrw'u croen** a bydd ganddyn nhw 4 pâr ychwanegol o goesau erbyn hynny. Ymhen ychydig fisoedd fe fyddan nhw wedi bwrw'u croen 6 gwaith, wedi tyfu mwy o goesau ac wedi cyrraedd eu llawn dwf. Mae cyfnod bwrw'i groen yn gyfnod anodd iawn i unrhyw anifail. Bydd rhai miltroediaid yn adeiladu "nythod bwrw'u croen" ac yn aros yn y nyth hwnnw nes bydd y croen newydd wedi caledu.

mwy nag 14 o goesau

pen ôl

segment

2 bâr o goesau ar bob segment

pen

pâr o deimlyddion

Wyddech chi

... mai un o brif elynion y miltroediaid ydy'r drudwen? Mae'r broga a'r draenog yn hoff iawn ohonyn nhw hefyd.

DATA ... DATA ... DATA ...

Mae tua 50 o wahanol fathau o filtroediaid yng ngwledydd Prydain. Maen nhw'n cael eu rhannu i dri grŵp:

- miltroediaid brith
- miltroediaid duon
- miltroediaid hirgrwn

DATA ... DATA ... DATA ...

Mae golwg rhyfedd iawn ar y plant 'ma â 3 phâr o goesau!

Wel, ti ydy eu mam nhw!

Anifail sy'n perthyn i grŵp o'r enw MYRIAPOD

Dysgu mwy am ...
Y Miltroed

Gwyliwch y miltroed yn symud

Rhowch un miltroed ar ddarn o bapur du a rhowch un arall ar ddarn o bapur gwyn. Pa un sydd fwyaf parod i symud i chwilio am loches? Ydy lliw y papur yn cael unrhyw effaith?

Sylwch yn ofalus ar y ffordd mae'r miltroed yn symud. Ydy'r coesau i gyd yn symud gyda'i gilydd? Ydyn nhw i gyd yn mynd yr un ffordd? Sut byddech chi'n disgrifio'r symudiad? Rhestrwch eiriau addas i ddisgrifio symudiadau y miltroed.

Beth ydy hoff fwyd y miltroed?

Paratowch gynhwysydd syml ar gyfer cadw miltroediaid ynddo am ychydig ddiwrnodau. Rhowch bridd ar waelod y cynhwysydd gyda darn o risgl coeden er mwyn i'r miltroediaid gael lle i guddio. Cofiwch gadw'r cynhwysydd yn llaith. Arbrofwch â gwahanol fathau o fwydydd. Rhowch amrywiaeth o lysiau a ffrwythau yn y cynhwysydd e.e. mefus, darn bach o afal, darn bach o oren, tomato, darn bach o dysen, darn bach o letys.

Gorchuddiwch y cynhwysydd â phapur tywyll am rai diwrnodau.

Gwnewch dabl i gofnodi eich arsylwadau.

math o fwyd	yn ei hoffi / ddim yn ei hoffi
afal	
mefus	
oren	
tomato	

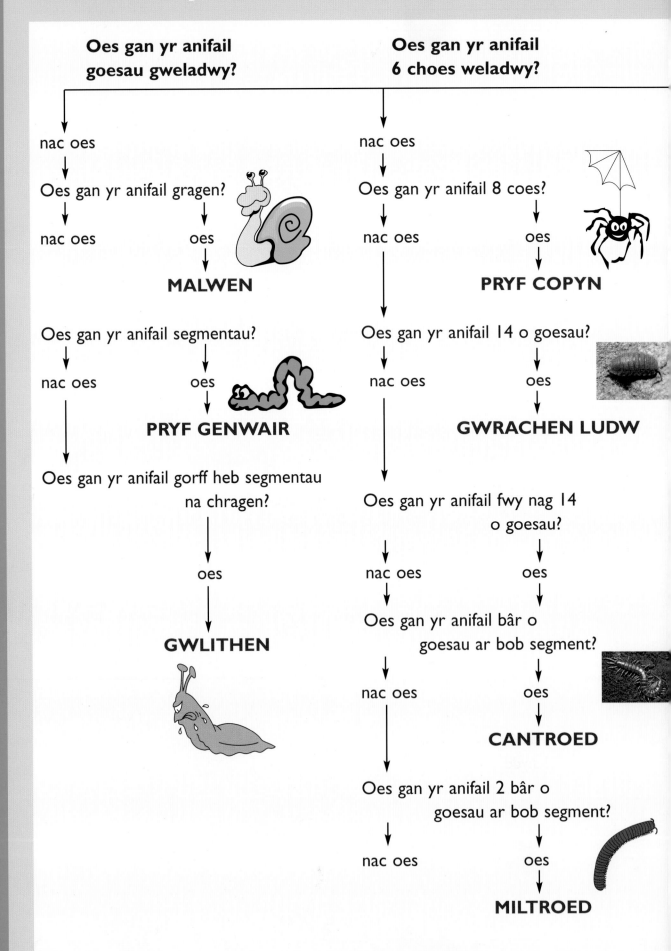

Oes gan yr anifail goesau gweladwy?

nac oes

Oes gan yr anifail gragen?

nac oes → oes → **MALWEN**

Oes gan yr anifail segmentau?

nac oes → oes → **PRYF GENWAIR**

Oes gan yr anifail gorff heb segmentau na chragen?

oes → **GWLITHEN**

Oes gan yr anifail 6 choes weladwy?

nac oes

Oes gan yr anifail 8 coes?

nac oes → oes → **PRYF COPYN**

Oes gan yr anifail 14 o goesau?

nac oes → oes → **GWRACHEN LUDW**

Oes gan yr anifail fwy nag 14 o goesau?

nac oes → oes

Oes gan yr anifail bâr o goesau ar bob segment?

nac oes → oes → **CANTROED**

Oes gan yr anifail 2 bâr o goesau ar bob segment?

nac oes → oes → **MILTROED**

oes

Oes gan yr anifail 6 choes a dim adenydd?

oes → **MORGRUGYN**

nac oes

Oes gan yr anifail 6 choes a chorff hir?

oes → **PRYF PRIC**

nac oes

Oes gan yr anifail 6 choes a phâr
o adenydd bychain anweladwy?

oes → **PRYF CLUSTIOG**

nac oes

Oes gan yr anifail 6 choes ac 1 pâr
o adenydd tryloyw gweladwy?

oes → **PRYF CHWYTHU**

nac oes

Oes gan yr anifail 6 choes ac 1 pâr
o adenydd wedi eu cuddio?

oes → **BUWCH GOCH GOTA**

nac oes

Oes gan yr anifail 6 choes a 2 bâr
o adenydd tryloyw gweladwy?

oes → **SIONCYN Y GWAIR**

nac oes

Oes gan yr anifail 6 choes a 2 bâr
o adenydd cennog?

oes → **GLÖYN BYW**

Sut y byddech chi'n
cynnwys
y creaduriaid hyn
yn yr allwedd?

pryf tŷ

gwyfyn

gwiddon

gwenyn

cacwn

Llyfrau eraill perthnasol

Dyma restr o rai llyfrau i'ch helpu i gael mwy o wybodaeth. Prin iawn yw'r llyfrau Cymraeg yn y maes hwn.

Arnold, Nick (1996) *Ugly Bugs*, Scholastic. Llyfr doniol sy'n sicr o ddenu plant o bob oed!

Baker, Nick (2002) *Nick Baker's Bug Book*, New Holland. Llyfr lliwgar, hynod o ddiddorol ar gyfer llyfrgell yr ysgol.

Chinery, Michael (1986) *Garden Creepy Crawlies*, Whittet. Llyfr gwybodaeth yn cynnwys lluniau syml du a gwyn. Ffeithiau diddorol iawn. Llyfr ar gyfer llyfrgell yr ysgol.

Clarke, Dave (2000) *Keeping Creepy Crawlies*, Collins.
Gwybodaeth ar sut i fynd ati i gadw bwystfilod bychain egsotig e.e. tarantwla, pryf pader a miltroediaid enfawr.

Green, Tamara (golygydd cyffredinol) (1998) *Bugs*, Zig Zag. Llyfr lliwgar yn trafod bwystfilod bychain ar draws y byd. Ffeithiau diddorol, a'r darluniau'n drawiadol iawn.

Hammond, Nicholas (2002) *Insects*, New Holland. Ychydig o wybodaeth am y gwahanol grwpiau o bryfed. Lluniau rhagorol.

Hughes, Huw John (1992) *Gwylio a Gwarchod y Glöyn*, Gwasg Dwyfor. Pennod ar gylchred bywyd y glöyn byw â manylion am ugain o loynnod byw cyffredin Cymru.

Jones, E. Breeze (1969) *Natur yn yr Ardd*, Cyd–bwyllgor Addysg Cymru (allan o brint erbyn hyn ond mae'n siŵr bod copi yn y llyfrgell leol neu hyd yn oed yn llyfrgell yr ysgol). Penodau diddorol ar y morgrug a'r malwod ymhlith pethau eraill diddorol.

Maynard, Chris (2001) Mega Bites, *Bugs*, DK. Fel y rhan fwyaf o lyfrau DK, mae'n lliwgar a diddorol.

Morgan, Sally (2000) *Ladybirds and Beetles*, Belitha. Mae hwn yn un o gyfres ddiddorol am y gwahanol fwystfilod bychain. Cyfres, yn sicr, ar gyfer yr ystafell ddosbarth.

Murphy, Frances (1980) *Keeping Spiders, Insects and Other Land Invertebrates in Captivity*, Bartholomew. Llyfr â digon o awgrymiadau ymarferol ar sut i gadw'r bwystfilod bychain yn yr ystafell ddosbarth.

O'Neill, Amanda (2002) *I Wonder Why Spiders Spin Webs?*, Kingfisher. Cwestiwn ac ateb e.e. pa anifail sy'n blasu â blaenau ei draed?

Parker, Jane (1993) *Focus on Insects*, Gloucester. Llyfr lliwgar sydd wedi ei rannu'n benawdau diddorol e.e. sut a pham mae rhai bwystfilod bychain yn gwenwyno a phigo neu sut maen nhw'n defnyddio eu synhwyrau. Llyfr ar gyfer yr ystafell ddosbarth.

Parker, Steve (2002) *Spiders and Insects*, Miles Kelly. Lliwgar iawn; awgrymiadau ymarferol.

Williams, R Melfyn (1984) *Adnabod Pryfed ac Anifeiliaid Di-asgwrn-cefn Eraill*, Gwasg Gomer/CBAC. Llyfryn sy'n trin a thrafod y gwahanol grwpiau o anifeiliaid.

Williams, R Melfyn (1985) *Casglu, Magu ac Arbrofi ag Anifeiliaid Di-asgwrn-cefn*, Gwasg Gomer/CBAC. Llyfryn arall yn yr un gyfres â'r uchod o lyfrau bioleg a baratowyd yn bennaf ar gyfer disgyblion Cyfnod Allweddol 3.

Butterfly Conservation
Manor Yard
East Lulworth
Wareham
Dorset
BH20 5QP
✆ 0870 774 4309
www.butterfly-conservation.org
Cymdeithas yn gwarchod gloynnod byw.
Mae cangen ddwyieithog yn perthyn i
Gymru.

Brunel Microscopes (BR) Ltd
Unit 2 Bumpers Farm Industrial Estate
Chippenham
Wilts
SN14 6NQ
✆ 01249 462 655
www.brunelmicroscopes.co.uk
Microsgopau o bob math.

Cymdeithas Edward Llwyd
Ysgrifennydd
Ioan Roberts
3 Rhes y Rheilffordd
Rhuthun
Sir Ddinbych
LL15 4LJ
www.cymdeithasedwardllwyd.org.uk
Cymdeithas Gymreig yn hyrwyddo byd natur
yng Nghymru.

Monkfield Nutrition
Church Farm Barn
Wendy
Royston
Herts
SG8 0HJ
www.monkfieldnutrition.co.uk
Cricedau a locustiaid ar werth.

Pili Palas
Ffordd Penmynydd
Porthaethwy
Ynys Môn
LL59 5RP
✆ 01248 712474
www.pilipalas.co.uk
Fferm loynnod byw. Gellir prynu wyau
gloynnod byw a phryfed pric ar gyfer y
dosbarth.

Small Life Supplies
Station Buildings
Station Road
Bottesford
Notts
NG13 0EB
✆ 01949 842446
www.small-life.co.uk
Gwahanol fathau o bryfed pric ar werth.

The Microscope Shop
Oxford Road
Sutton Scotney
Winchester
Herts
SO21 3JG
Microsgopau ar werth.

Virginia Cheeseman
21 Willow Close
Flackwell Heath
High Wycombe
HB10 9LH
✆ 01682 522632
Bwystfilod bychain egsotig ar werth.

Geirfa

Dyma rai geiriau, termau ac ymadroddion sy'n cael eu defnyddio yn y llyfr, a'u hystyron.

abdomen – rhan ôl yr anifail
Anelid – anifail â segmentau
Arachnoffobia – ofn pryfed cop
Arachnida – gair Groeg am bryf copyn

bwrw'i groen – dyma'r ffordd mae rhai anifeiliaid yn tyfu

cen – y llwch ar adenydd y glöyn byw
cloradenydd – adenydd bychain sydd wedi'u gorchuddio
Coleoptera – adenydd wedi'u gorchuddio
cuddliw – anifail sy'n defnyddio ei liw i gyd–fynd â lliw ei amgylchedd
cyfrwy – rhannau rhywiol pryf genwair llawn dwf
cylchred bywyd – y ffordd mae anifail yn tyfu o un cam i gam arall
cynefin – lle mae'r anifail yn byw

Dermaptera – croen adeiniol
Diptera – dwy adain
duryn – tafod y glöyn byw

gaeafgysgu – cysgu dros fisoedd y gaeaf
gwaed oer – tymheredd y corff yn amrywio yn ôl y tymheredd o'i gwmpas

Hymenoptera – anifail ag adenydd pilennog

Isopod – coesau tebyg i'w gilydd

Lepidoptera – adenydd cennog

llygaid cyfansawdd – llygaid pryfyn, sy'n llawn o lygaid bychain
llysnafedd – hylif gludiog sy'n dod o gorff malwen neu wlithen

Molwsg – anifail meddal
morgrugfa – cynhwysydd i fagu nythaid o forgrug
Myriapod – llawer o goesau
neithdar – hylif melys sydd yng nghanol blodyn

Phasmida – ar ffurf ysbryd

radwla – tafod malwen neu wlithen

Saltatoria – pryfed sy'n neidio
segmentau – cylchoedd sy'n rhannau o gorff anifail

tafolion – adenydd bychain ym môn y thoracs
teimlyddion – ar ben yr anifail i deimlo ac arogli

thoracs – corff y pryfyn; mae ei goesau a'i adenydd yn dod o'r thoracs

wyddodydd – rhan ôl abdomen y fenyw ar gyfer dodwy wyau

Mynegai